Livro 2

Um agradecimento especial para Anna Bowles.

Para Katy Read, que ama unicórnios!

CIP-BRASIL. CATALOGAÇÃO NA PUBLICAÇÃO
SINDICATO NACIONAL DOS EDITORES DE LIVROS, RJ

B17v
   Banks, Rosie
   O vale dos unicórnios / Rosie Banks ; ilustração Orchard Books ; tradução Monique D'Orazio. - 1. ed. - Barueri, SP : Ciranda Cultural, 2016.
   128 p. : il. ; 20 cm. (O reino secreto)

   Tradução de: Unicorn valley
   ISBN 9788538055013

   1. Ficção infantojuvenil inglesa. I. Books, Orchard. II. D'Orazio, Monique. III. Título. IV. Série.

16-31294   CDD: 028.5
                                                                         CDU: 087.5

© 2012 Orchard Books
Publicado pela primeira vez em 2012 pela Orchard Books.
Texto © 2012 Hothouse Fiction Limited
Ilustrações © 2012 Orchard Books

© 2016 desta edição:
Ciranda Cultural Editora e Distribuidora Ltda.
Tradução: Monique D'Orazio
Preparação: Sandra Schamas

1ª Edição
www.cirandacultural.com.br

Todos os direitos reservados. Nenhuma parte desta publicação pode ser reproduzida, arquivada em sistema de busca ou transmitida por qualquer meio, seja ele eletrônico, fotocópia, gravação ou outros, sem prévia autorização do detentor dos direitos, e não pode circular encadernada ou encapada de maneira distinta àquela em que foi publicada, ou sem que as mesmas condições sejam impostas aos compradores subsequentes.

O Vale dos Unicórnios

ROSIE BANKS

Sumário

Uma nova aventura — 9

No Vale dos Unicórnios — 27

Lagartas pegajosas e ramos retorcidos — 45

Morceguinhos da Tempestade — 61

Uma surpresa pegajosa — 77

Os Jogos Dourados — 91

Uma nova aventura

— Prontinho! — disse Ellie Macdonald, dando um passo atrás para admirar os lindos biscoitos colocados na assadeira.

Era uma tarde chuvosa de domingo, e suas melhores amigas, Summer Hammond e Jasmine Smith, tinham vindo para fazer biscoitos. Summer fez os seus em formato de coração, enquanto Jasmine fez coroas. A artística Ellie criou fadas de biscoitos com lindas asas.

O Vale dos Unicórnios

– Precisa assar por quanto tempo? – perguntou Summer, torcendo uma de suas tranças loiras de um jeito pensativo. – Não quero que fiquem queimados!

– Quinze minutos – disse Ellie, consultando o livro de receitas.

– Quinze minutos! – Jasmine disse fazendo drama, desabando na cadeira e jogando a cabeleira negra e brilhante no rosto. – Mas eu estou morrendo de fome!

– Vai passar rapidinho – Ellie respondeu com uma risada. – Vou programar o cronômetro.

Com um salto, ela saiu de perto da mesa onde estavam trabalhando, e tropeçou quando bateu o pé na perna da cadeira.

– Oops – disse ela, quando a cadeira caiu no chão.

A Sra. Macdonald veio ver o que era aquele barulho.

Uma nova aventura

— Não se preocupem, meninas — disse ela, admirando os biscoitos. — Eu vou colocar isso no forno e chamo vocês quando estiverem prontos. Tenho certeza de que ficarão deliciosos. E vocês fizeram formatos lindinhos! Coroas, corações e até mesmo fadas. Quanta imaginação!

Enquanto a Sra. Macdonald estava colocando os biscoitos no forno, as três amigas trocaram um sorriso. Claro que a mãe de Ellie achava que elas tinham muita imaginação, afinal, ela não tinha visto o Reino Secreto, a terra mágica onde, apenas alguns dias antes, as meninas tinham conhecido um rei de verdade usando uma coroa de verdade, tinham visto fadas e comido biscoitos infinitos mágicos em formato de coração na festa de aniversário do rei Felício!

— Vamos subir enquanto os biscoitos estão assando — Jasmine sugeriu.

Enquanto as meninas subiam para o quarto de Ellie, Jasmine sussurrou:

— Vamos dar uma olhada na Caixa Mágica, só para garantir. Você trouxe a caixa, né, Summer?

— Claro que sim — Summer respondeu com um sorriso.

O quarto de Ellie era longo e claro, com seus livros de arte e ferramentas espalhados por uma grande escrivaninha, e as pinturas coloridas que ela havia feito estavam penduradas nas paredes lilás.

As meninas se acomodaram perto da janela, onde Ellie fazia suas pinturas. Summer tirou cuidadosamente a Caixa Mágica de dentro da bolsa e passou-a para Jasmine, que ficou olhando ansiosa para a tampa espelhada.

Uma nova aventura

A caixa estava tão linda quanto antes, quando a tinham encontrado. As laterais de madeira tinham entalhes detalhados de criaturas mágicas, e a tampa curvada tinha um espelho cercado por seis pedras verdes cintilantes.

– Tivemos tanta sorte de ter encontrado isso no bazar da escola – disse Summer com um sorriso.

– A gente não encontrou, foi ela que encontrou a gente! – Jasmine lembrou-lhe.
– A Caixa Mágica sabia que éramos as únicas que podiam ajudar o Reino Secreto.

O Vale dos Unicórnios

O Reino Secreto era um lugar incrível, onde muitas criaturas mágicas viviam. Só que existia um grande problema. Desde que os súditos tinham escolhido o rei Felício para governar, sua terrível irmã, Malícia, estava determinada a deixar todo mundo no reino tão infeliz quanto ela. A rainha havia espalhado seis relâmpagos horríveis por toda a terra, e cada um deles tinha um feitiço que causava muita confusão.

– Mas o reino ainda precisa da nossa ajuda – disse Ellie. – A gente impediu que o primeiro relâmpago da rainha Malícia arruinasse a festa de aniversário do rei Felício, mas até agora só encontramos um dos relâmpagos que ela escondeu. Trixibelle disse que eram seis.

– Eu espero que a gente possa ver a Trixi de novo logo, logo – respondeu Summer. – Foi maravilhoso conhecer uma fadinha de verdade.

Uma nova aventura

— Bom, não parece que a gente vai ver a Trixi hoje — disse Jasmine tristemente, colocando a Caixa Mágica no chão e deitando de costas no tapete de Ellie. — O espelho está vazio.

— Não, não está! — exclamou Ellie, pegando a caixa e se inclinando em cima dela. — Olhem!

O espelho estava começando a cintilar e brilhar. Palavras começaram a subir flutuando lá do fundo reluzente.

— É um enigma! — disse Ellie. Ela leu as palavras no espelho em voz alta:

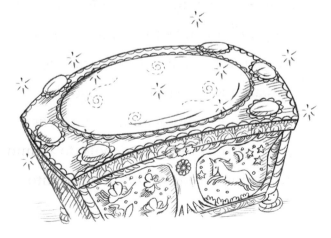

*— O segundo relâmpago vocês vão encontrar
onde criaturas de um só chifre podem caminhar.
A mágica maléfica deve ser frustrada
antes que uma competição especial seja arruinada!*

Ellie enrugou a testa e ficou pensando.
— Criaturas de um chifre — disse ela.
— Não sei vocês, mas isso me faz pensar em...
— Unicórnios! — exclamou Summer, com os olhos brilhando. — Tinha unicórnios na festa de aniversário do rei Felício! Mas eu não sei onde eles vivem.

Naquele momento, a Caixa Mágica começou a brilhar mais forte. Ela se abriu devagar, e uma fonte de luz disparou do centro, levantando junto um pedaço de papel. Era o mapa mágico que o rei Felício tinha dado para as meninas depois da última aventura! Jasmine o desdobrou com muito

Uma nova aventura

cuidado. Mostrava a ilha do Reino Secreto, que era em formato de lua. As três meninas se reuniram em volta do mapa.

O Vale dos Unicórnios

– Ali fica o palácio do rei Felício – disse Jasmine, apontando para a construção cor-de-rosa com as quatro torres douradas. As bandeirinhas lá no alto tremularam de leve, como se houvesse brisa.

Summer estava olhando o resto do mapa.

– Floresta Florida – ela leu em voz alta. – Baía dos Golfinhos.

– O que é isso? – Jasmine perguntou, apontando para um bosque cercado por montanhas bem altas.

Ellie olhou mais de perto.

– O Vale dos Unicórnios! – exclamou. – Deve ser onde está o próximo relâmpago!

As amigas olharam para a Caixa Mágica, mas nada aconteceu.

– Como fizemos da primeira vez? – Summer perguntou.

– Colocamos as mãos nas pedras verdes, e então Trixi e o rei Felício apareceram! – Jasmine se lembrou.

Uma nova aventura

A Caixa Mágica começou a brilhar de novo, e as amigas se apressaram em colocar as palmas das mãos sobre as pedras brilhantes.

– A resposta para o enigma é Vale dos Unicórnios! – Ellie sussurrou.

Por um momento, a luz que saía de dentro da caixa brilhou tão forte que elas precisaram fechar os olhos. Depois a luz sumiu, e tudo ficou parado.

As meninas olharam em volta com cautela.

– Vocês acham que funcionou? – perguntou Jasmine. – O rei Felício e Trixi apareceram no guarda-roupa da Summer da última vez.

As três meninas olharam para o guarda--roupa de Ellie. Em seguida, atrás delas, a tampa do baú de brinquedos de Ellie começou a estremecer.

Ellie viu o movimento com o canto dos olhos e se virou tão rápido, que quase caiu.

– Eles estão presos no baú de brinquedos! – ela gritou.

— Não se preocupe — disse uma voz límpida, em meio aos brinquedos. — Estarei com vocês em um instante.

— Trixi! — as meninas exclamaram com alegria, reconhecendo a voz da fadinha real do rei Felício, que as tinha acompanhado pelo Reino Secreto durante a última visita.

Elas ficaram olhando e, de repente, pétalas rosadas começaram a sair da beirada da tampa do baú. As flores estavam crescendo com uma rapidez mágica, forçando a tampa a se levantar. O baú se abriu com tudo. Dali de dentro saiu uma chuva de pétalas e Trixi, voando em cima

Uma nova aventura

de uma folha. A fadinha minúscula acenou para as meninas com empolgação, e depois deu uma batidinha no anel mágico que ela sempre usava. O anel brilhou. As flores mágicas se dissolveram em pó brilhante e foram desaparecendo pouco a pouco.

Então Trixi flutuou para onde as meninas estavam.

– É adorável ver vocês de novo – ela disse com um sorriso, enquanto voava com a folha até as meninas e dava um beijinho na ponta do nariz de cada uma.

– É ótimo ver você de novo – Summer respondeu alegremente.

Depois da última aventura, parecia difícil de acreditar que elas tinham feito amizade com uma fada, mas ali estava Trixi, exatamente do mesmo jeito: roupas feitas de folhas e cabelos loiros despontados que apareciam debaixo do chapéu de flor.

O Vale dos Unicórnios

Os olhos azuis de Trixi cintilaram quando ela sorriu para as meninas.

– Mas onde está o rei Felício? – Jasmine perguntou.

– Ele está ocupado escrevendo um discurso – Trixi contou. – Todo ano, os unicórnios organizam um evento chamado Jogos Dourados, e o rei Felício faz um discurso de boas-vindas para os convidados. Só que,

Uma nova aventura

da última vez, ele se confundiu e chegou só no fim da competição, por isso, eu tive que transformar em um discurso de encerramento!

As meninas deram risadinhas. Era muito legal ouvir histórias sobre o Reino Secreto. Mas era ainda melhor ir até lá e viver as aventuras pessoalmente!

– Coitado do rei Felício – riu Jasmine.

– Bom, ele pode ter problemas de novo este ano – disse Ellie, com o rosto sério.
– O enigma diz que o segundo relâmpago da rainha Malícia está escondido no Vale dos Unicórnios.

– Ah, não! – exclamou Trixi. – Vamos ver se a gente encontra.

Ela voou até o mapa e ficou

O Vale dos Unicórnios

pairando em cima do Vale dos Unicórnios.
Elas olharam para um pomar cheio de árvores
frutíferas, jardins arrumadinhos e uma colina
bem íngreme cercada por grama multicolorida
e lindos campos verde-esmeralda.

– O Vale dos Unicórnios é um dos lugares
mais adoráveis do reino – disse Trixi. – Bem
o tipo de lugar que a rainha Malícia tentaria
destruir!

– Bom, a gente não vai deixar – respondeu
Ellie com firmeza.

– Vamos! – disse Jasmine.

Trixi deu um toquinho na Caixa Mágica
com o anel e cantarolou:

*– A rainha má planejou uma guerra.
Ajudantes corajosas, voem para salvar nossa terra!*

As palavras de Trixi apareceram na
tampa espelhada antes de subirem até o teto.

Uma nova aventura

Depois rodopiaram em uma nuvem dançante e cercaram a cabeça das meninas em um redemoinho cintilante e cheio de brilho.

– Reino Secreto, aqui vamos nós! – gritou Jasmine, sobre o som de uma rajada de vento.

As meninas seguraram as mãos uma das outras, e o quarto de Ellie pareceu desaparecer sob seus pés. Houve um lampejo de cores muito fortes. E então, espalhados bem lá embaixo, como estavam no mapa só que muito mais bonitos, estavam os campos verdes e ondulantes do Vale dos Unicórnios.

Os campos estavam ficando mais e mais perto, muito depressa!

– Aaaaiiiii! – Ellie gritou, fechando bem os olhos. – Estamos caindo!

No Vale
dos Unicórnios

— A gente não está caindo, está voando de paraquedas! – exclamou Jasmine, ali perto.

Ellie percebeu que alguma coisa estava enrolada em seu corpo de forma protetora. Ela ergueu os olhos e viu uma grande folha vermelha acima de sua cabeça, farfalhando delicadamente com o vento. Alguns ramos desciam da folha e enrolavam Ellie, bem firme, ao redor da cintura.

O Vale dos Unicórnios

— Acho que consigo ver o Vale dos Unicórnios inteiro – disse Summer, em voz alta, planando na direção de Ellie debaixo de uma enorme folha amarela. No centro do vale havia uma árvore enorme mais alta do que todas as outras.

— Aquela é a Grande Macieira – disse Trixi, que também estava voando ao lado delas, em sua própria folha mágica. – Foi a primeira árvore que nasceu no Vale dos Unicórnios.

No Vale dos Unicórnios

— Hum, que linda — disse Ellie, um pouco amedrontada. — Mas onde a gente vai pousar?

— Tem uma porção de musgos bem ali — disse Trixi e apontou para uma parte do campo coberta de flores. — Vai funcionar tão bem quanto uma pista de aterrissagem. Agora, cuidado!

Elas desceram batendo os braços e conseguiram manobrar as folhas para pousar em uma cobertura fofa de musgo azul. As folhas caíram em cima delas com um som baixinho de *flamp*.

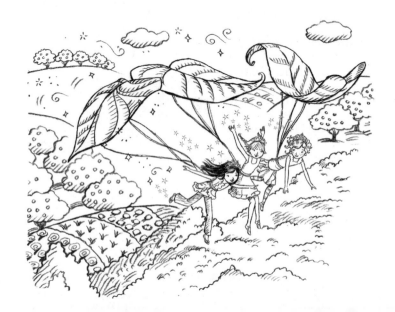

— Ufa! – disse Ellie, embaixo da folha, que estava parecendo uma barraca que tinha desmoronado.

Ellie puxou a folha, mas sentiu alguma coisa enroscar na sua cabeça. Ela ergueu a mão para tirar a folha e percebeu que estava usando a linda tiara que o rei Felício tinha dado a ela no fim da última aventura! Então sorriu e, andando com dificuldade, chamou:

— Trixi! Você está aí?

— Claro que estou – disse a fadinha.

Ellie saiu de baixo de sua folha e quase caiu, chocada. Estava vendo dois unicórnios brancos galopando com graça na direção delas. As crinas

voavam na brisa e os chifres reluziam na luz do sol. Um unicórnio tinha o chifre prateado e o outro tinha o chifre dourado. Ellie se virou e olhou com espanto para Summer e Jasmine. Elas também estavam usando suas tiaras, que haviam aparecido como num passe de mágica, e as duas estavam de queixo caído, olhando para as lindas criaturas.

O unicórnio maior tinha um belo conjunto de folhas e frutinhas vermelhas trançadas na crina. Quando chegou até as meninas, parou e tocou de leve com a ponta do chifre na cabeça de cada uma das amigas.

– Esse é um sinal especial de boas-vindas – Trixi sussurrou para elas. – Vocês têm que fazer uma reverência.

Às pressas, Summer e Ellie pegaram as pontas da saia e flexionaram os joelhos, um pouco sem jeito. Jasmine, que estava vestindo jeans, teve que segurar as pontas da blusa.

O Vale dos Unicórnios

— Bem-vindas ao Vale dos Unicórnios — disse a criatura, com uma voz majestosa. — Meu nome é Cauda Prateada, sou a líder dos unicórnios, e esta é minha filha, Crina Graciosa. Vocês são as primeiras humanas que vejo depois de muito tempo.

Crina Graciosa relinchou suavemente e respondeu:

— Eu *nunca* vi uma humana antes — ela se aproximou das meninas trotando e as observou com atenção. — Vocês nem têm caudas! — disse sem acreditar.

Ellie e Jasmine deram risadinhas, mas Summer estava impressionada demais.

— Não acredito que estamos conversando com unicórnios de verdade! — sussurrou para Ellie.

Trixi voou com a folha até pairar na frente das meninas e pigarreou.

— Jasmine, Ellie e Summer são convidadas de honra do rei Felício — explicou.

— Nós sabemos — respondeu Cauda Prateada com um sorriso, e se virou de frente para as meninas. — Percebemos pelas tiaras que vocês são Amigas Muito Importantes do rei. Todo mundo no reino está falando sobre como vocês salvaram a festa de aniversário do rei Felício do relâmpago horrível da rainha Malícia!

Ela sacudiu a crina e bufou só de pensar na rainha malvada.

— Achamos que outro relâmpago pode ter caído aqui no Vale dos Unicórnios — Ellie disse a ela. – Temos que encontrá-lo antes que cause algum estrago.

Cauda Prateada relinchou com ansiedade.

– Os horticultores disseram que tinha alguma coisa estranha perto da Grande Macieira. Eu estava a caminho de lá quando vocês chegaram. Vocês poderiam ir comigo, o que acham?

– Claro que vamos – Jasmine concordou.

– Vai ser mais rápido se vocês forem cavalgando – disse Cauda Prateada, olhando de lado para as pernas das meninas. – Vou chamar meus unicórnios mais fortes para carregarem vocês.

As três meninas se entreolharam com entusiasmo.

– Vamos andar de unicórnio? – gritou Jasmine.

Cauda Prateada se virou para os campos e balançou a cabeça. Na mesma hora, três

No Vale dos Unicórnios

unicórnios robustos vieram galopando. Um era verde-menta, outro era azul-meia-noite bem escuro e o último era cinza-grafite. Todos eles tinham longas crinas, longas caudas e chifres dourados retorcidos. Cauda Prateada os apresentou como Patas Ligeiras, Cascos Lustrosos e Pelo Cinzento.

– Vamos ter uma vista maravilhosa daqui de cima – disse Jasmine, subindo nas costas verde-menta de Patas Ligeiras.

– Mas não estamos alto demais! – disse Ellie, acomodando-se em Pelo Cinzento.
– Bem do jeito que eu gosto!

– Obrigada por vocês levarem a gente – Summer disse para Cascos Lustrosos. – Esta é a primeira vez que andamos de unicórnio.

– Segure firme! – respondeu Cascos Lustrosos com um relincho amigável.

Com Trixi voando na folha ao lado delas, as amigas seguiram Cauda Prateada pelo Vale dos Unicórnios.

— Os unicórnios sempre viveram aqui? — perguntou Ellie.

— Não — explicou Cauda Prateada. — O Vale dos Unicórnios foi fundado há mil anos por um unicórnio chamado Crina de Neve. Naquela época, toda esta área estava coberta por espinhos venenosos e plantas carnívoras. Era o lugar mais selvagem de todo o reino. Mas então, Crina de Neve tocou um espinheiro com o chifre e o transformou em uma linda macieira mágica. A árvore espalhou sua beleza por toda a terra, e todas as plantas horríveis desapareceram.

Crina Graciosa balançou a cauda e foi trotando ao lado da mãe e dos unicórnios que carregavam as meninas.

— Nós cuidamos dos pomares e mantemos a mágica do Vale dos Unicórnios — relinchou alegremente.

No Vale dos Unicórnios

— Aqueles são os estábulos, onde nós dormimos — disse Cauda Prateada, acenando com a cabeça para uma construção dourada que ficava afastada da estrada, em um prado cheio de flores. — E ali em cima vocês vão ver a Academia Cascos Felizes, nossa escola.

— Oh, os unicórnios bebês são *tão* fofos! — exclamou Summer.

O grupo começou a andar mais devagar para admirar a escola dos unicórnios, um grande campo dividido em várias classes que ficavam ao ar livre. Cavalgando nas costas de seus fortes amigos unicórnios, Ellie, Jasmine e Summer logo estavam tão perto da escola que conseguiram ver uma professora mostrando a alguns unicórnios muito jovens como escrever seus nomes. Com enorme concentração, eles mexiam os chifres no ar, e letras flutuantes e cheias de brilho apareciam na frente deles.

— Aqueles pequenos unicórnios têm chifres prateados, como você — Summer disse para Crina Graciosa. — Mas todos os unicórnios grandes têm chifres dourados.

— Nossos chifres ficam prateados até a gente crescer — explicou Crina Graciosa. — Depois, participamos dos Jogos Dourados, e os mais velhos transformam nossos chifres em dourados. Vocês chegaram na hora certa, porque os jogos vão acontecer hoje à tarde! Eu vou competir na Grande Corrida. O vencedor vai poder ser um dos mensageiros reais do rei e levar cartas urgentes por todo o reino. É uma grande honra!

– Tenho certeza de que é por isso que a Caixa Mágica nos chamou agora – Jasmine sussurrou no ouvido de Ellie. – O relâmpago da rainha Malícia vai destruir os Jogos Dourados!

– Não se a gente puder ajudar! – Ellie respondeu com um sorriso.

Depois de um percurso rápido, as meninas entraram nos pomares, onde os unicórnios mais velhos estavam cuidando de árvores impecáveis.

– Este é o Pomar Real de Macieiras – explicou Cauda Prateada –, onde crescem todas as maçãs do Reino Secreto.

– Ah, eu queria estar com meus apetrechos de arte para poder desenhar tudo isso! – Ellie exclamou. – O pomar é tão lindo! Ou eu poderia desenhar o estábulo! Não, os unicórnios bebês!

Cauda Prateada sorriu e disse:

– Venham comigo só um pouco mais, e eu vou mostrar a vocês a vista mais linda de todo o vale.

Patas Ligeiras, Cascos Lustrosos e Pelo Cinzento seguiram numa cavalgada suave entre duas fileiras de árvores bem formadas e saíram numa clareira.

Bem no centro estava a enorme árvore que as meninas tinham visto quando vieram descendo de paraquedas sobre o reino. Era ainda maior vista de perto.

– O tronco é do tamanho da minha casa! – Jasmine exclamou com espanto.

Os unicórnios se curvaram para que Ellie, Summer e Jasmine pudessem descer e andar até a árvore. Os galhos antigos se estendiam acima delas, pesados com tantas maçãs reluzentes.

— Esta é a Grande Macieira que foi criada por Crina de Neve – disse Cauda Prateada. — Sem ela, o Vale dos Unicórnios voltaria a ser um lugar selvagem e sombrio.

— É incrível! – sussurrou Ellie.

– Foi aqui que os horticultores disseram que viram uma coisa estranha – disse Cauda Prateada. – Talvez o relâmpago esteja escondido por perto.

As meninas começaram a procurar em todo o tronco da árvore. Trixi voou com a folha para o alto e passou entre os galhos. Mesmo assim, elas não conseguiram ver nenhum sinal do relâmpago da rainha Malícia.

De repente, elas ouviram um relincho de alerta vindo do outro lado da árvore. Trixi olhou preocupada para as meninas, e todas correram para ver o que estava acontecendo.

Cauda Prateada estava ali, olhando para algo profundamente fincado na terra, entre as raízes da Grande Macieira. Parecia um grande estilhaço preto com um brilho horrendo: a ponta do relâmpago da rainha Malícia!

No Vale dos Unicórnios

– Ah, não! – Cauda Prateada relinchou, preocupada. – O relâmpago horrível da rainha Malícia está nas raízes da Grande Macieira! Se a árvore sofrer algum dano, o vale inteiro voltará a ser um lugar inabitável!

Lagartas pegajosas e ramos retorcidos

As meninas começaram a inspecionar os galhos mais baixos da árvore, procurando por alguma coisa errada.

– Eu cuido dos frutos – disse Crina Graciosa.

Ela se concentrou muito e, com uma onda que saiu de seu chifre, uma maçã desceu flutuando do topo da árvore. A fruta aterrissou no chão, bem na frente de Crina Graciosa, que empurrou a maçã com o chifre e depois ficou parada, em choque.

O Vale dos Unicórnios

— O que foi? — perguntou Summer.

Enquanto ela observava, apareceu um montinho sobre a casca rosada da maçã. Depois ele explodiu, e de dentro saiu a cabeça de uma grande lagarta roxa e cheia de pintas pretas.

— É uma lagarta pegajosa! — Trixi gritou. — Elas costumam ficar do outro lado do reino, nas terras do horrível Castelo do Trovão da

Lagartas pegajosas e ramos retorcidos

rainha Malícia. Quanto mais elas comem, maiores elas ficam!

A criatura engraçada balançou a cabeça para sentir o ar morno e mostrou a língua para as meninas. Depois se enterrou de novo e desapareceu.

– Eca! – exclamou Ellie, andando de costas e trombando em Crina Graciosa, que tropeçou em cima de uma cesta de maçãs.

Os frutos caíram no chão, e mais lagartas caíram também.

– Argh, elas são horrorosas! – disse Jasmine, quando olhou para uma das criaturas pegajosas que estava mastigando uma maçã com muita satisfação.

O Vale dos Unicórnios

Summer ficou vendo a lagarta engolir um pedação de maçã e depois arrotar bem alto.

— Elas só estão com fome — Summer falou com carinho.

— Summer, você gosta de qualquer animal, não importa o quanto eles sejam nojentos! — Ellie brincou com a amiga.

— Vamos ver se eu consigo me livrar delas — disse Trixi, descendo, dirigindo a folha até a lagarta mais próxima e dando uma batidinha nela com o anel. A fada cantarolou:

— Suas gulosas, ninguém quer vocês aqui.
E com este encanto, vocês vão sumir!

Nada aconteceu.

— A mágica da rainha Malícia é forte demais para mim — Trixi suspirou.

As meninas trocaram olhares tristonhos.

Lagartas pegajosas e ramos retorcidos

– Vamos ter que destruir o relâmpago – disse Cauda Prateada. – Vou trazer os meus unicórnios mais fortes e nós vamos tirar esse negócio do solo.

– Não vai adiantar – Trixi disse a ela. – Para nos livrarmos do relâmpago, vamos ter que quebrar o feitiço da rainha Malícia.

– O que vamos fazer se as lagartas machucarem a árvore? – Crina Graciosa perguntou.

Ela estava embaixo da Grande Macieira, olhando muito triste para as lagartas. As criaturas estavam se contorcendo entre as maçãs espalhadas pelo chão e mastigavam todas contentes. Uma grande lágrima cintilante rolou de um dos olhos de Crina Graciosa. Quando a gota caiu na grama, uma florzinha minúscula começou a crescer.

– Se o vale voltar a ser o que era, não vamos ter nenhum lugar para onde ir.

Cauda Prateada olhou para a filha e perguntou com carinho:

– Por que você não vai treinar para a corrida, Crina Graciosa? Seria bom para se distrair. E vocês, meninas, poderiam ir com ela e ficar assistindo – sugeriu, virando-se para Ellie, Summer e Jasmine. – Talvez vocês consigam encontrar mais pistas sobre o que a rainha Malícia está aprontando, e sobre como podemos impedi-la. Meus horticultores são os melhores jardineiros no Reino Secreto. Tenho certeza de que eles conseguem cuidar das lagartas até que a gente encontre uma forma de quebrar o feitiço da Malícia. E eu vou ficar aqui para ajudá-los.

– E eu vou colocar um encanto em volta da árvore para impedir que as lagartas se espalhem pelo resto do pomar – Trixi acrescentou.

Lagartas pegajosas e ramos retorcidos

— Sim, vamos para o treino — Summer disse para Crina Graciosa, para confortá-la, e acariciando sua pelagem. — Quando chegarmos lá, vamos acabar tendo uma ideia.

A pequena concordou balançando a cabeça com bravura e levou as meninas do pomar até pista de corrida. Quando as três amigas entraram nos jardins, olharam em volta com muita atenção tentando avistar qualquer outro sinal das travessuras da rainha Malícia.

Summer notou que Crina Graciosa estava olhando para os cascos enquanto caminhava, e tinha uma expressão preocupada no rosto.

— Por que você não conta para nós sobre os Jogos Dourados? — perguntou Summer para distraí-la.

Crina Graciosa pareceu mais feliz ao imaginar o que aconteceria naquela tarde.

— Bom, vamos ter a Grande Corrida, é claro — disse ela. — E muitos outros jogos e esportes, e até números de mágica de unicórnio.

— Parece incrível — Summer falou com um sorriso, enquanto as meninas se aproximavam da pista de corrida, que dava a volta em uma quadra de jogos passando por uma pequena colina. Já estava cheia de unicórnios que observavam o treino dos outros. A pista era coberta por grama e havia linhas coloridas para mostrar onde cada corredor ficaria.

— Que jogo eles estão jogando? — Summer apontou para o grande campo dentro da pista.

Ali, havia unicórnios que saltavam através de aros dourados suspensos e depois os capturavam com o chifre.

— Aquele é o "Argolas e Unicórnios" — disse Crina Graciosa, orgulhosa. — E ali na frente, "Beisebol Fujão".

Lagartas pegajosas e ramos retorcidos

As meninas observaram uma equipe de unicórnios que estavam usando o chifre para bater em uma bola vermelha. Toda vez que a bola atingia o chão, ela ganhava pernas e tentava fugir dos jogadores.

– Olhem, o rei Felício! – disse Ellie, apontando entusiasmada.

Ele estava bem elegante em suas vestes reais, só que havia pedaços de papel saindo dos bolsos, e manchas de tinta no manto.

Ele estava andando de um lado para outro na lateral da pista, coçando a cabeça com tanta força, que seus óculos de meia-lua quase caíram.

– Ele parece preocupado – observou Trixi. – É melhor vermos se está tudo bem.

Summer, Ellie e Jasmine correram até o rei, que estava resmungando consigo mesmo, todo distraído.

O Vale dos Unicórnios

— Agora deixe-me ver — disse ele. — É uma honra para vocês se dirigirem a mim no dia de hoje… Minha nossa, não. Isso não está certo. Quero dizer, é uma honra para mim poder falar com vocês amanhã… Pelos céus, isso também não vai servir.

— Ele está praticando o discurso de boas--vindas? — Summer sussurrou para Trixi.

Lagartas pegajosas e ramos retorcidos

— Acho que sim — respondeu a fadinha.
— Ele não é muito bom em decorar discursos!

O rei parou de andar e apalpou os bolsos como se estivesse procurando por alguma coisa. Trixi voou até ele e fez aparecer um grande lenço de bolinhas que, por pura mágica, limpou e arrumou as vestes do rei.

— Olá! — disse o rei Felício alegremente.
— Meninas, que bom ver vocês de novo. Estão aqui para os jogos?

— Na verdade, não — Ellie explicou. — Foi a Caixa Mágica que nos trouxe aqui. Tem um relâmpago nas raízes da Grande Macieira.

— E já está causando encrenca — disse Jasmine. — Vimos lagartas pegajosas horríveis atacando a árvore.

— Isso é terrível! — disse o rei. — Vocês têm um plano para dar um fim no relâmpago?
— ele olhou esperançoso para as meninas.

— Ainda não — Ellie admitiu. — Mas estamos trabalhando nisso.

— Uau, olhem só ela! — disse Summer, apontando para Crina Graciosa, que agora estava correndo pela pista colorida com cinco outros unicórnios jovens. — Ela é muito rápida!

Apesar das preocupações, Summer não conseguiu evitar um sorriso ao ver as lindas criaturas galopando e disputando quem era mais veloz.

— Não vamos deixar os unicórnios na mão — ela prometeu ao rei Felício.

Mas no exato momento em que as palavras saíram da sua boca, algo terrível aconteceu!

Bem na frente dos unicórnios corredores, no meio da pista, apareceu um amontoado de ervas daninhas verdes e compridas. No mesmo instante, talos grossos começaram a

Lagartas pegajosas e ramos retorcidos

crescer e serpentear pelo gramado em todas as direções. As plantas indesejadas se arrastaram e se enrolaram nas patas dos unicórnios que estavam correndo. Quatro dos corredores ficaram tão presos que caíram de patas para o ar. Crina Graciosa só escapou porque saltou muito alto quando um galho tentou pegar sua cauda.

– Minha nossa, mas o que é isso? – gritou Ellie quando uma das ervas daninhas brotou do chão perto dos pés de Jasmine. Ellie e Summer agarraram a planta com o máximo de força que conseguiram, mas o ramo da planta se mexeu, escorregou das mãos delas e continuou crescendo.

– Deve ser por causa da Grande Macieira! – exclamou Trixi. – Com as lagartas comendo os frutos, a árvore deve estar enfraquecendo. E com a mágica desaparecendo, as ervas daninhas estão voltando para o Vale dos Unicórnios! Rápido, vamos para a colina!

Todos começaram a subir a colina correndo, mas novos ramos brotavam de todo lado em volta das meninas e das outras criaturas mágicas. Então, elas tinham que desviar enquanto corriam. As amigas e os unicórnios conseguiram chegar ao topo da colina bem depressa, mas o rei Felício não conseguiu acompanhar e ficou para trás. Ele estava sem fôlego, e Trixi teve que ajudar a empurrá-lo colina acima. Tinham quase alcançado as meninas quando um ramo se enrolou no pé do rei Felício e o fez cair.

Lagartas pegajosas e ramos retorcidos

Ellie desceu para ajudá-lo, mas um dos ramos se enrolou em sua cintura. Enquanto Summer e Jasmine observavam horrorizadas, o galho perverso começou a puxar Ellie colina abaixo!

Morceguinhos da Tempestade

— Solte a minha amiga! — gritou Jasmine, batendo no ramo que estava enrolado bem forte em volta de Ellie.

— Aguenta aí! — Summer falou, agarrando as mãos de Ellie.

Jasmine começou a puxar os galhos apertados. Juntas, as duas amigas se esforçaram e logo o ramo começou a ficar mais frouxo.

O Vale dos Unicórnios

– Está funcionando! – exclamou Ellie.

O ramo finalmente a soltou, e ela, Jasmine e Summer caíram no chão.

– Ufa! – suspirou Ellie. – Essa foi por pouco!

As meninas se esforçaram para subir de novo a colina, onde Trixi, o rei Felício, Crina Graciosa e os outros unicórnios estavam esperando.

– As ervas daninhas estão ficando fora de controle! – exclamou Jasmine, apontando para o pé da colina, onde mais plantas nojentas estavam brotando.

– Vamos ter que cancelar os Jogos Dourados – disse o rei Felício, enrugando a testa. – Não vai ter como a gente fazer o evento com tanta erva daninha brotando no nosso caminho. Trixi, você poderia enviar um anúncio de vaga-lume para avisar a todos que é melhor ficar longe daqui?

Morceguinhos da Tempestade

Trixi deu uma batidinha no anel, que começou a brilhar de leve. Alguns instantes depois, várias luzes apareceram em volta deles: eram centenas de vaga-lumes que estavam acordando. As meninas olharam com admiração para as luzes que brilhavam suavemente na claridade do dia.

– Existem vaga-lumes por todo o reino – Trixi explicou. – Eles vão passar nossa mensagem para todos que os encontrarem.

Trixi voou até os vaga-lumes para transmitir o aviso, mas Summer a fez esperar um pouco.

— Ah, por favor, não cancele os jogos ainda — ela implorou. — Se você cancelar, a rainha Malícia vai ter o que ela queria, e todos os unicórnios vão ficar muito tristes. Crina Graciosa e os outros não vão poder ganhar os chifres dourados, e o rei Felício não vai ter um novo mensageiro. Temos que dar um jeito nisso!

— Mas o que podemos fazer? — exclamou Trixi, ansiosa. — Sem a mágica da Grande Macieira, o vale logo estará completamente arruinado.

— Espere aí — disse Ellie. — Temos que descobrir como vamos acabar com o relâmpago da rainha Malícia. Na festa de aniversário do rei Felício, quebramos o feitiço quando fizemos todo mundo se divertir. Então, se a rainha Malícia quer arruinar os Jogos Dourados e a Grande Corrida, vamos ter que continuar com os eventos mesmo assim.

Morceguinhos da Tempestade

— Mas como? — perguntou Cauda Prateada. — Nunca vamos conseguir tirar todas as ervas daninhas a tempo, e não podemos fazer a Grande Corrida sem pista.

Summer sorriu.

— Eu tenho uma ideia! Sempre existe equilíbrio na natureza, mesmo que tenha a mágica da rainha Malícia no meio. Temos lagartas famintas na Grande Macieira, e plantas que não param de crescer na pista de corrida. Acho que a gente deveria trazer as lagartas para os Jogos Dourados!

— As lagartas não vão gostar dos jogos! — o rei Felício disse por impulso. — Elas são muito preguiçosas e não gostam de esportes.

Ellie sorriu assim que entendeu o que sua amiga estava pensando.

— Elas não vão participar dos jogos! — disse Ellie com uma risada. — Se a gente trouxer as lagartas comilonas para cá, elas vão comer todas as ervas daninhas!

— Elas vão comer tudo e deixar a pista de corrida limpa — Jasmine concordou.

— E então os jogos vão poder continuar! — falou Summer, com um sorriso radiante.

Trixi fez uma dancinha em cima da folha.

— Eu acho, de verdade, que pode

funcionar, meninas – disse ela. – Ainda bem que vocês estão aqui!

– Mas como vamos voltar para a Grande Macieira? – Jasmine perguntou, observando as ervas daninhas, que estavam se espalhando por toda a pista de corrida. – Ficamos presas!

– Eu posso cuidar disso! – Trixi respondeu com entusiasmo. – Pessoal, deem as mãos, ou os cascos.

– Vou ficar aqui, Trixi – anunciou o rei Felício. – Alguém tem que ficar com os outros unicórnios e mantê-los calmos.

– Ele não gosta de passear por aí com o uso de mágica – Trixi sussurrou para as meninas. – A barba dele fica toda desgrenhada e ele fica zonzo!

As meninas deram risadinhas.

Com Ellie, Summer, Jasmine e Crina Graciosa segurando umas nas outras, Trixi lançou um encanto:

*— Ajude-nos a chegar aonde a gente queira,
bem debaixo da Grande Macieira!*

Ellie fechou os olhos com força e, quando os abriu de novo, ela e as amigas estavam na clareira ao lado da árvore. Ela não sentiu nadinha!

— Agora as lagartas estão muito maiores — comentou Summer.

O encanto mágico de Trixi estava impedindo que as lagartas pegajosas se espalhassem, mas elas estavam crescendo rápido de tanto comer uma maçã atrás da outra e mordiscar o tronco da árvore.

Um dos unicórnios que cuidava do pomar suspirou.

— E quanto maiores elas ficam, mais elas comem!

— Isso é bom! – sorriu Jasmine. – Tem um monte de ervas daninhas horríveis crescendo na pista de corrida, e as lagartas podem ajudar comendo todas elas! Só precisamos levá-las até lá.

Bem nessa hora, ela avistou um grande carrinho de maçã ali perto, com apenas alguns frutos dentro.

– Já sei! – ela exclamou. – Aquilo ali vai ser perfeito! Se pudermos encher aquele carrinho com as maçãs mais gostosas, as lagartas com certeza vão pular lá dentro também.

Trixi desfez o encanto que segurava as lagartas, e Ellie e Summer começaram a carregar um punhado de frutos para dentro do carrinho. Mesmo assim, as lagartas nem prestaram atenção.

– Se ao menos a gente conseguisse fazer com que elas entendessem aonde a gente quer que elas vão – Summer disse, pensativa.

– Como vamos fazer isso? – perguntou Trixi.

Summer pensou por mais um instante.

– Precisamos de uma trilha de comida para levar as lagartas até o carrinho.

– É uma ideia excelente! – disse Trixi, sorrindo. – Vou fazer isso agora mesmo.

A fadinha tocou o anel, que brilhou. Então uma coisa verde saiu de dentro dele e caiu no chão. Era uma folha de repolho fresca e crocante.

Mais folhas apareceram de seu anel, e Trixi as arrumou no chão em uma fileira que levava da Grande Macieira até o carrinho.

Uma das lagartas ergueu a cabeça, sentindo o cheiro no ar. Depois lambeu os beiços, parecendo faminta, rastejou até a folha e começou a dar mordidinhas.

Não demorou até que várias lagartas ansiosas estivessem seguindo em direção ao carrinho. Uma por uma, elas foram se aproximando e rastejaram para dentro. Foram deixando um rastro pegajoso para trás.

Quando todas as lagartas já estavam reunidas, as meninas guardaram mais maçãs e frutinhas em volta delas para garantir que tivesse bastante comida.

Depois que tudo ficou pronto, Trixi bateu no anel mais uma vez, e todo o grupo foi transportado instantaneamente para a colina.

Era pior do que elas tinham imaginado. A pista de corrida estava completamente coberta com ervas daninhas terríveis, e o rei Felício estava ilhado em cima da colina, ao lado de dois unicórnios tristes.

— A gente trouxe as lagartas da Grande Macieira — Ellie disse para ele de longe, do outro lado da pista. — Elas vão comer esses ramos rapidinho!

Àquela altura, as lagartas tinham terminado de devorar a comida no carrinho. Quando as meninas olharam lá dentro, não tinha mais nada para ser visto, a não ser os restos das maçãs e enormes lagartas adormecidas.

— E se elas estiverem cheias demais para comer as ervas daninhas? — Summer perguntou ansiosamente.

Mas na hora em que as criaturas pegajosas perceberam os ramos que iam se arrastando, elas acordaram. Lamberam os beiços e foram até as plantas com água na boca, famintas. Elas logo começaram a comer aquela quantidade enorme de ramos verdes retorcidos.

— Nosso plano está funcionando! — disse Trixi, batendo palmas, feliz da vida, e voando com a folha num movimento de oito no ar.

— Bom trabalho, Ellie, Summer e Jasmine! — parabenizou o rei Felício, levando os unicórnios colina abaixo.

— Logo a pista vai ficar limpa! — disse Jasmine enquanto as meninas tiravam o resto das lagartas de dentro dos carrinhos. — Nada vai nos impedir agora!

O Vale dos Unicórnios

Ellie levou um susto e agarrou o braço da amiga.

– Hum... parece que vai... – gaguejou, apontando atrás das meninas. – Olhem ali atrás.

As garotas se viraram. Não longe dali, duas criaturas horríveis se aproximavam voando na direção da pista de corrida, em cima de nuvens negras. Tinham os dedos pontudos esticados, e seus olhos escuros brilhavam de maldade.

Morceguinhos da Tempestade

— Os Morceguinhos da Tempestade da rainha Malícia! – falou Summer.

As criaturas feias estavam chegando mais perto nas nuvens negras. Uma delas mostrou a língua para as meninas.

— Deem essas lagartas para nós! – gritou o outro morcego.
— Vamos espalhar esses bichos por toda parte, e eles vão comer todas as plantas, árvores e arbustos que encontrarem pela frente. O Vale dos Unicórnios vai se tornar uma terra inabitável, e vocês não vão poder fazer nada!

Uma surpresa pegajosa

– Não podemos deixar os Morceguinhos da Tempestade levarem as lagartas! – gritou Summer.

Bem na hora, Jasmine percebeu uma coisa na entrada da pista de corrida: uma banca cheia de melões azuis que pareciam suculentos.

– Rápido, precisamos pegar umas lagartas bem grandes – disse Jasmine. – Não tenho tempo para explicar. Confiem em mim.

O Vale dos Unicórnios

Ellie e Summer ajudaram Jasmine a encontrar três lagartas grandes e carregá-las para a banca de melões. As lagartas agora estavam tão gordas que cada menina só conseguia carregar uma de cada vez, e ainda por cima eram muito gosmentas!

Uma surpresa pegajosa

– Ufa! – disse Ellie esbaforida ao colocar a lagarta pesada no lugar. – Entendi, Jasmine. As lagartas vão deixar o chão escorregadio e os Morceguinhos da Tempestade vão cair!

– Ideia brilhante – disse Trixi, voando acima delas. – Aqueles são melões-açucarados. São tão doces e saborosos que as lagartas não vão resistir!

E assim aconteceu. Quando as lagartas avistaram os melões-açucarados de aparência tão boa, elas saíram se arrastando pelo caminho, famintas, querendo pegá-los, e deixando três rastros muito escorregadios.

– Certo, vocês venceram – Jasmine disse para os Morceguinhos. – Vamos dar as lagartas pra vocês. Peguem essas aqui.

Os morcegos deram uma risada travessa, desceram com as nuvens negras e voaram até o solo, apertando os olhos negros como se estivessem se preparando para saltar.

– Uou! – gritou o primeiro morceguinho que pousou. – Está gosmento!

Seu pé levantou do chão e ele atingiu o outro morcego bem no tornozelo. O segundo morcego deu um gritinho e saiu pulando numa perna só até a beira da estrada, agitando os braços freneticamente.

Uma surpresa pegajosa

Os Morceguinhos da Tempestade caíram bem em cima da meleca escorregadia das lagartas!

Nenhum deles conseguiu encontrar um lugar firme para ficar de pé. Primeiro eles escorregaram e trombaram um no outro, e então tentaram se segurar no companheiro. Por fim, os dois caíram um em cima do outro, no meio dos melões-açucarados.

— Você me derrubou, Bafo-de-lesma! — um deles gritou.

— Não, você que me fez tropeçar! — o outro reclamou, ofendido, debaixo de um melão esmagado.

As meninas estavam na beira da estrada, dando risada dos capangas da rainha Malícia esparramados no chão no meio da meleca e dos melões.

Todos os unicórnios riam também; todos, menos Patas Ligeiras, Pelo Cinzento e Cascos

Lustrosos, que estavam parados perto dos Morceguinhos da Tempestade, e olhavam para eles bem zangados.

– Vocês dois vêm com a gente – relinchou Pelo Cinzento. – Podem nos ajudar a limpar o pomar. Isso deve deixar vocês longe de encrenca até os Jogos Dourados terminarem.

Os unicórnios marcharam até o pomar com os Morceguinhos da Tempestade, e as criaturas da rainha foram brigando, empurrando e chutando uns aos outros.

– Não vai ter jogo nenhum a menos que as lagartas tenham limpado a pista – disse Jasmine impaciente.

Mas quando ela olhou para o circuito de corrida, não havia erva daninha nenhuma! Dava para ver a grama outra vez, e deitadas ali, com cara de sono, parecendo mais gorduchas do que nunca, estavam as lagartas pegajosas! A que estava mais perto de Jasmine

Uma surpresa pegajosa

estava de costas, roncando alto, com suas centenas de pezinhos erguidos no ar.

De repente, as meninas ouviram um relincho, e Cauda Prateada se aproximou delas galopando. Ela vinha da Grande Macieira.

– O relâmpago da rainha Malícia se quebrou – ela disse às meninas, cheia de entusiasmo. – A árvore já começou a se recuperar sozinha!

— A gente conseguiu! — exclamou Jasmine.

— Vamos sempre ser gratos pelo que vocês fizeram hoje — Cauda Prateada disse em tom solene. — Mas acho que ainda temos um problema.

As amigas trocaram um olhar.

— As lagartas! — elas disseram de uma só vez.

O que iam fazer com as criaturas gulosas?

— Temos que encontrar um outro lugar para elas viverem — disse Trixi.

— Isso — Summer concordou. — Não podemos mandar as coitadinhas de volta para a rainha Malícia.

Mas, enquanto elas observavam, as lagartas começaram a se contorcer. Depois de alguns instantes, elas se enrolaram em seda, que rapidamente endureceu e se tornou um casulo sólido.

— O que está acontecendo? — perguntou o rei Felício.

Uma surpresa pegajosa

Cauda Prateada se ajoelhou e tocou o casulo mais próximo com o chifre.

– Não sei – disse ela –, mas pelo menos elas não vão precisar se alimentar por um tempo!

Todos ajudaram a colocar os casulos cuidadosamente dentro do carrinho, onde eles ficariam fora do caminho durante os Jogos Dourados. Era muito mais fácil agora que as lagartas não estavam se contorcendo por aí!

– Bem na hora! – disse Cauda Prateada, sorrindo quando Jasmine colocou, com cuidado, o último casulo no carrinho.
– Estamos prontos para a cerimônia de abertura. Summer, Ellie e Jasmine, vocês devem ficar e ser nossas convidadas de honra.

Cauda Prateada levou as meninas para o melhor lugar na colina, ao lado do rei Felício. Trixi fez aparecer, num passe de mágica, almofadas flutuantes para todos eles, que se sentaram enquanto os jovens unicórnios faziam os preparativos finais para os jogos.

Assim que tudo ficou pronto, a almofada do rei Felício flutuou acima dos espectadores e ele leu o discurso com nervosismo.

Uma surpresa pegajosa

– É uma honra falar para mim com vocês este ano... – começou ele, sem conseguir evitar de trocar as palavras como sempre.

Summer, Ellie e Jasmine acharam difícil não dar risada, mas não queriam que o rei bondoso ficasse chateado, por isso, com o maior esforço conseguiram ficar com o rosto sério até o final.

Logo elas esqueceram das risadas porque o desfile dos competidores havia começado. Vários pequenos unicórnios trotaram com elegância pela pista. Todos eles tinham fitas diferentes, flores e ramos trançados na crina e na cauda.

As meninas deram vivas quando Crina Graciosa se aproximou num passo altivo.

Por fim, os unicórnios se enfileiraram na frente do público e cantaram o hino nacional do Reino Secreto:

O Vale dos Unicórnios

*— O Reino Secreto é uma terra de belezas,
da areia cintilante aos vales de surpresas.
Nosso lindo e encantado lar de magia
aos unicórnios, gnomos e fadas contagia.*

Ao fim de todas as estrofes, a plateia ficou em silêncio.

– Olhem! – exclamou Ellie, apontando para o céu.

Todos os pequenos unicórnios tinham levantado a cabeça, e, da ponta de seus chifres, saíram fagulhas vermelhas e cor-de-rosa disparando para o alto como se fossem fogos de artifício!

Uma surpresa pegajosa

As centelhas giraram e se retorceram para se transformarem em grandes letras que reluziam forte no céu do entardecer. Summer leu em voz alta:

*— Obrigado, Summer,
Ellie e Jasmine,
por quebrarem o feitiço
da rainha Malícia!*

— Uau! — sussurrou Jasmine.

Então as letras se uniram, depois se transformaram e escreveram:

*Que comecem
os Jogos Dourados!*

Os Jogos Dourados

As meninas exclamaram com admiração quando assistiram a uma apresentação incrível depois da outra. Alguns elegantes unicórnios participaram da corrida de saltos, passando por cima de obstáculos feitos de mágica cintilante. Outros pulavam alto no ar para alcançar os aros dourados com o chifre. Tinha tanta coisa acontecendo, que Ellie, Summer e Jasmine mal sabiam para onde olhar primeiro!

O Vale dos Unicórnios

O ponto alto dos jogos foi a Grande Corrida. Summer, Ellie e Jasmine estavam emocionadas, e se seguraram às almofadas flutuantes quando Cauda Prateada disparou um tiro cintilante com o chifre para dar início à corrida. E então os unicórnios saíram em disparada.

– Vamos, Crina Graciosa! – as meninas torceram.

Logo de cara, Crina Graciosa estava na dianteira. Mas um unicórnio maior de manchas vermelhas estava correndo na pista de dentro e vinha rapidamente passando na frente de Crina Graciosa.

Jasmine se levantou e deu um gritinho de encorajamento. Ellie torcia e Summer cruzou os dedos e os pressionou na bochecha.

Trixi estava tão empolgada que nem tinha coragem de olhar, por isso ela se escondeu atrás das amigas humanas.

Os Jogos Dourados

— Quando acabar, vocês me contam tudo! — ela disse.

Crina Graciosa acelerou a corrida e foi se aproximando cada vez mais do unicórnio maior.

— Você consegue, Crina Graciosa! — Jasmine gritou a plenos pulmões.

Determinada, Crina Graciosa abaixou o chifre e galopou o mais rápido que conseguiu. Ela ficou lado a lado com o outro unicórnio. E venceu por uma cabeça de diferença!

Trixi e as meninas assistiram com orgulho quando o rei Felício coroou Crina Graciosa com uma guirlanda de frutinhas cintilantes e a nomeou oficialmente a nova mensageira real.

Por fim, todos os jovens unicórnios subiram no topo da colina e receberam os cumprimentos da família e dos amigos. As celebrações estavam quase chegando ao fim, e as meninas perceberam que estava na hora de voltarem para casa. Só restava uma última coisa: ver Crina Graciosa e os outros unicórnios jovens ganharem os chifres dourados!

Cauda Prateada relinchou e todos os unicórnios ficaram em silêncio.

– E agora é o momento de nós realizarmos a cerimônia da maioridade – disse ela –, e de honrarmos aqueles que nos ajudam.

De repente Crina Graciosa ficou muito séria. Ela e os outros unicórnios jovens se

Os Jogos Dourados

reuniram em um círculo e ficaram de frente para o centro. Devagar, ergueram a cabeça. Quando seus chifres se tocaram, ouviu-se um som de sininhos e o ar acima deles começou a brilhar. As meninas ficaram boquiabertas, maravilhadas, quando viram os chifrinhos dos unicórnios mudarem de um prateado cintilante para um dourado glorioso. Assim que a transformação estava completa, houve um grande alvoroço de vivas, e todos os unicórnios relincharam e bateram os cascos para celebrar. Crina Graciosa deu um sorriso radiante e olhou para cima para tentar enxergar o novo chifre dourado no topo da cabeça.

Tudo ficou em silêncio quando Cauda Prateada entrou no meio do círculo. Ela deu um relincho comprido e todos os unicórnios apontaram os chifres para um só ponto no ar. Explosões de mágica cheia de brilhos saíram da ponta dos chifres e se uniram para criar

O Vale dos Unicórnios

uma forma reluzente. Pouco a pouco, a forma ficou nítida. Era um minúsculo chifre prateado de unicórnio! Quando ele estava completo, Cauda Prateada relinchou de novo e o chifre flutuou até as meninas.

– Este é um presente para agradecer a vocês por salvarem o Vale dos Unicórnios da

Os Jogos Dourados

maldade da rainha Malícia. Sem vocês, nosso lindo lar teria sido destruído. Vamos ser gratos para sempre – disse Cauda Prateada, fazendo uma reverência para as meninas. Atrás dela, os unicórnios abaixaram a cabeça. Mesmo Trixi, com um grande sorriso no rostinho, abaixou para fazer uma reverência.

O Vale dos Unicórnios

Summer percebeu que todos os unicórnios estavam esperando que elas pegassem o presente. Ela deu um passo nervoso para frente e pegou o chifre cintilante com cuidado. Não era muito maior que seu dedinho, e parecia pesar quase nada. Era coberto por uma linda espiral, igualzinho ao de Crina Graciosa.

Na mesma hora, a plateia se espantou. As meninas se viraram e olharam para os carrinhos de maçãs. Os casulos das lagartas estavam se mexendo e estremecendo.

Os Jogos Dourados

De repente, um deles se abriu com um estalo e, de dentro, saiu voando uma borboleta maravilhosa com desenhos roxos cintilantes nas asas! Os casulos estavam eclodindo! Logo outra borboleta apareceu, e então mais uma, até que o ar estivesse cheio delas, dançando e batendo as novas asas.

– Elas são lindas! – exclamou Summer.

– Quem iria imaginar que aquelas lagartas pegajosas poderiam se tornar borboletas tão lindas? – Jasmine disse com um sorriso.

– Espero que elas não estejam tão famintas agora que já estão crescidas – Ellie falou, preocupada.

O Vale dos Unicórnios

Todos ficaram maravilhados admirando as lindas borboletas batendo as asas e voando em uma dança no céu.

Depois de alguns minutos, Cauda Prateada pediu silêncio à plateia.

– Vamos todos ficar em silêncio por um momento – ela disse com a voz séria. – Agora, Summer, ouça com atenção.

Summer ficou atenta, curiosa para saber o que iria acontecer.

Então ela prendeu a respiração. Entre o bater das asas, de repente, ela ouviu as borboletas dizerem:

– Obrigada! A gente não queria causar problemas.

– Eu consigo entender as borboletas! – ela disse, impressionada.

Ellie e Jasmine tentaram escutar também.

– Eu não consigo ouvir nada – disse Ellie.

Os Jogos Dourados

– O chifre prateado dá a vocês a capacidade de falar com os animais e entender o que eles dizem – disse Trixi, sorrindo.

Summer passou o chifre para as amigas, para que elas também pudessem ouvir o que as borboletas diziam.

Trixi tocou o anel, e um encanto cheio de brilho em forma de borboleta apareceu e saiu voando, deixando para trás um rastro cintilante.

– Isso aqui vai levar vocês para a Floresta Florida – ela disse para as lindas borboletas.

O Vale dos Unicórnios

Quando as criaturinhas começaram a seguir o encanto de Trixi pelo caminho que as levaria para seu novo lar, Cauda Prateada se virou para as meninas solenemente.

— Vocês agora são membros honorários da família unicórnio. Serão conhecidas por Summer Cascos Gentis, Ellie Crina de Fogo e Jasmine Coração Valente — ela disse tocando gentilmente as meninas com o chifre, uma de cada vez. — Se algum dia vocês precisarem de nós, estaremos aqui para ajudar.

As meninas se entreolharam, maravilhadas.

— Obrigada — Jasmine conseguiu dizer.

Com sorrisos radiantes, as meninas se despediram dos unicórnios. Trixi beijou cada uma delas no nariz, depois se aproximou e lançou, acima da cabeça delas, o redemoinho mágico que as levaria de volta para casa.

— Vejo vocês em breve! — foi a última coisa que elas ouviram conforme eram suspensas no ar, cada vez mais alto, acima do lindo Vale dos Unicórnios.

Depois, com um lampejo de luz, elas se encontraram sentadas no tapete macio de Ellie.

A luz do dia enchia o quarto, e era refletida em cima da Caixa Mágica, que estava sobre o tapete, entre as amigas.

– Minha nossa – disse Ellie, olhando para o chifrinho na mão. – Que aventura incrível!

– Fiquei muito contente de ter conhecido os unicórnios – disse Summer.

– Mas é uma pena que o tempo não passa quando a gente está no Reino Secreto – Jasmine suspirou. – Depois de tudo, estou com mais fome do que nunca. E os biscoitos *ainda* não estão prontos!

Ellie e Summer deram risada.

De repente, a Caixa Mágica começou a brilhar e a tampa se abriu bem devagar. Com cuidado, Ellie colocou o chifre prateado em um dos compartimentos internos.

– Espero que a gente possa voltar logo para o Reino Secreto – disse ela.

– Pode contar com isso, Crina de Fogo – disse Jasmine, dando risada. – Ainda temos que encontrar mais quatro daqueles relâmpagos horríveis. Aonde será que vamos da próxima vez? Que tal as Cachoeiras Nômades? Ou, quem sabe, os Prados Místicos? O rei Felício disse que é lá que os duendes fazem guerra de cogumelos!

— Eu adoraria ver os dois lugares — Summer comentou com um suspiro. — Mas o importante é poder ajudar a Trixi e o rei Felício e salvar o reino da rainha Malícia!

— Isso com certeza — concordou Jasmine, com um sorriso. — Bom, quem chegar por último fica sem biscoito!

Dando risadas, as três amigas desceram as escadas correndo.

Na próxima aventura no Reino Secreto,
Ellie, Summer e Jasmine vão visitar

A Ilha das Nuvens

Leia um trecho…

Uma mensagem do Reino Secreto

— Queria que a gente não tivesse tanta lição de casa — suspirou Ellie Macdonald, enquanto voltava para casa com as amigas.
— Tenho que escrever uma história para a aula de Inglês e não sei nem por onde começar!

— Vamos fazer a lição juntas, na minha casa. A gente pode colocar música e uma pode ajudar a outra — sugeriu Jasmine.

– Ótima ideia – Summer concordou, andando de braços dados com Jasmine e Ellie. – Até a lição de casa pode ser divertida com as amigas!

– Bom, eu não diria que é divertida – sorriu Ellie, com os olhos verdes reluzindo. – Mas é melhor do que fazer sozinha.

Com risinhos, elas andaram até a casa de Jasmine e se reuniram na cozinha.

Havia um grande pacote de biscoitos de chocolate e um bilhete em cima da mesa. Jasmine pegou o bilhete e leu em voz alta:

– *"Oi, Jasmine, com certeza você veio para casa com a Ellie e a Summer, então divida esses biscoitos com elas! Tem limonada na geladeira. Vejo vocês às cinco. Mãe."*

– Sua mãe é tão legal! – Summer comentou.

– Por que será que ela achou que vocês viriam comigo? – disse Jasmine, sorrindo.

— Verdade, todo mundo acha que a gente fica o tempo todo juntas — brincou Ellie.

Summer riu. Ela, Jasmine e Ellie moravam em um pequeno vilarejo chamado Valemel e estudavam na mesma escola. Elas eram melhores amigas desde pequenas, estavam sempre uma na casa da outra, eram praticamente irmãs!

Jasmine abriu a geladeira e pegou uma jarra de limonada, e Summer pegou três copos e um prato.

— Agora vamos fazer a lição de casa — disse Jasmine, colocando tudo em uma bandeja e subindo a escada. Summer e Ellie foram atrás.
— Depois podemos nos divertir de verdade.

— Ei, a Caixa Mágica está na sua penteadeira! — exclamou Ellie, assim que as três entraram correndo no quarto de Jasmine, que era bem pequeno, mas tinha uma decoração linda. As paredes eram rosa-choque, e a cama tinha uma cortina vermelha esvoaçante presa no alto.

— Eu não queria perder nenhuma mensagem do Reino Secreto! – disse Jasmine.

Elas olharam para a linda caixa de madeira. Era coberta por desenhos bem detalhados de fadas e unicórnios, e tinha uma tampa espelhada com pedras verdes em volta. Parecia uma caixa de bijuteria, mas era muito mais que isso.

– Quando a caixa estava comigo, eu dormi com ela debaixo do travesseiro! – Ellie riu.

As meninas haviam encontrado a Caixa Mágica em um bazar da escola. A caixa tinha aparecido misteriosamente na frente delas, mas pertencia ao rei Felício, o governante do Reino Secreto.

O reino era um mundo mágico que ninguém sabia que existia. Ninguém a não ser Jasmine, Summer e Ellie! Era uma ilha linda em forma de meia-lua, onde sereias, unicórnios, fadinhas e elfos viviam felizes juntos.

O Reino Secreto estava passando por problemas terríveis. A rainha Malícia, a irmã malvada do rei, estava muito zangada porque o povo do Reino Secreto havia escolhido o rei Felício para governar o reino. Então, ela lançou seis relâmpagos maléficos no reino para causar problemas. Summer, Jasmine e Ellie já tinham encontrado dois relâmpagos e quebrado os feitiços asquerosos dela.

– Queria que a gente pudesse embarcar em outra aventura mágica agora! – Ellie suspirou.

– Eu também – concordou Jasmine, tirando os livros da mochila e espalhando tudo no tapete. Ela colocou os longos cabelos escuros atrás das orelhas. – Vamos acabar logo com isso – disse, pegando um biscoito de chocolate.

Ellie pegou o livro de Inglês e começou a morder a ponta do lápis. Estava olhando pelo quarto, tentando encontrar uma ideia para sua história, quando uma coisa chamou sua atenção.

– Pelo jeito, não vamos fazer a lição agora! A Caixa Mágica está brilhando! – exclamou Ellie, feliz da vida.

As meninas logo se levantaram para ver o que estava acontecendo. Animadas, elas se reuniram em volta da caixa e ficaram observando as palavras que se formavam no espelho mágico.

– O que será que a rainha Malícia está tramando? – perguntou Jasmine, estremecendo só de pensar na rainha horrível e em seus planos maléficos para deixar todos no reino tão infelizes quanto ela.

– Vamos ter que resolver o enigma para descobrir – disse Summer estudando as palavras no espelho. Em seguida, ela começou a ler devagar e em voz alta:

> – *Um relâmpago vocês vão encontrar*
> *bem acima da terra e do mar.*
> *Um lugar branco, fofo e flutuante*
> *precisa de ajuda contra o perigo constante!*

Jasmine anotou o enigma antes que as palavras sumissem.

– O que isso significa? – ela perguntou.

– O lugar flutuante deve ser uma ilha – Ellie disse, intrigada.

– Vamos olhar o mapa. Pode ser que a gente encontre – disse Jasmine.

A Caixa Mágica parecia ter ouvido a conversa das meninas. Ela se abriu e revelou seis compartimentos internos. Apenas dois espaços estavam preenchidos: em um deles,

estava o mapa do Reino Secreto que o rei
Felício tinha dado para as meninas depois da
sua primeira visita, e no outro havia um chifre
prateado de unicórnio. Era pequeno, mas tinha
um poder enorme. Quem estivesse segurando o
chifre conseguia se comunicar com os animais!

Com bastante cuidado, Summer pegou o
mapa e o abriu no chão do quarto de Jasmine.
Curiosas, as três meninas se sentaram bem
perto e abaixaram a cabeça para olhar. Havia
algumas ilhas pequenas no Recanto das Sereias
e outras um pouco mais
afastadas da Praia
Cintilante.
As ilhas se
mexiam
no mapa
no mar
turquesa

ondulante, que subia e descia, mas nenhuma delas parecia ser branca nem fofa.

– Não é aqui! – Summer disse, aflita.

– Mas tem que ser! Precisamos resolver o enigma e voltar ao Reino Secreto para encontrar o relâmpago antes que alguma coisa horrível aconteça! – exclamou Ellie.

Jasmine se levantou e começou a andar de um lado para outro no quarto, com uma expressão preocupada no rosto.

– Vamos ler o enigma outra vez – Summer sugeriu. – Acho que estamos esquecendo alguma coisa. "Um lugar branco, fofo e flutuante." Essas ilhas não são nem brancas nem fofas.

– "Bem acima da terra e do mar..." – Jasmine murmurou.

Então Jasmine olhou para o mapa e começou a rir. Summer e Ellie ainda estavam analisando o mapa, olhando cada centímetro do mar. Mas Jasmine se deu conta de uma coisa.

– A gente não tem que procurar no mar! Tem que procurar no céu! – exclamou.

– Claro! – Ellie acrescentou com um sorriso. – O que é fofo e flutua?

– A nuvem! – exclamou Summer.

– E aqui está a Ilha das Nuvens! – Ellie gritou, apontando para uma grande massa de nuvens brancas no topo do mapa. – Deve ser esta. Vamos chamar a fada Trixi!

As meninas colocaram as mãos na Caixa Mágica e apertaram os dedos nas pedras verdes da tampa de madeira entalhada.

– A resposta é Ilha das Nuvens! – Jasmine sussurrou.

De repente, elas viram um jato de luz seguido por um gritinho. Trixibelle tinha aparecido, mas estava presa na cortina que ficava em cima da cama de Jasmine!

– Fique parada! – Jasmine gritou enquanto a fadinha se contorcia no tecido fininho. Ela estava tentando se soltar, mas se enrolava cada vez mais.

– Estou tentando! – disse Trixi com outro gritinho quando caiu da folha.

Ellie, Jasmine e Summer subiram depressa na cama de Jasmine e tiraram Trixi do tecido translúcido. Os dedos habilidosos de Ellie desenrolaram a cortina do chapéu de flor com todo cuidado. Jasmine e Summer ajudaram Trixi a desenroscar os braços e as pernas da fadinha.

– Pronto! – disse Ellie, ao desenganchar o último pedacinho de tecido.

– Ufa! – Trixi suspirou.

Ela pulou de volta para a folha e voou numa espiral rápida antes de arrumar a saia e o chapéu de flor que cobria seu cabelo loiro e bagunçado.

– Oi, meninas! – ela exclamou, chegando perto das meninas para dar um beijinho na ponta do nariz de cada uma. Ela pousou na beira do criado-mudo de Jasmine. – Estou feliz em ver vocês de novo. Já descobriram onde está o próximo relâmpago?

— A gente acha que está em um lugar chamado Ilha das Nuvens — Summer respondeu e leu novamente o enigma em voz alta.

— É mesmo. Não temos tempo a perder. Precisamos ir para o reino agora mesmo — Trixi disse, acenando com a cabeça.

As meninas se entreolharam com entusiasmo. Elas iriam para outra aventura mágica, e desta vez, em uma ilha no céu!

Leia

A Ilha das Nuvens

Para descobrir o que acontece depois!

Perfil
Summer Hammond

Personalidade:
Tranquila, atenciosa e bondosa. Se alguém estiver chateado, Summer vai ser a primeira a perceber e ajudar.

Cor favorita:
Amarelo.

Adora:
Animais e livros.

Lugar favorito no Reino Secreto:
O Vale dos Unicórnios. Os unicórnios bebês são tão fofos!

Família:
Summer tem um irmão mais velho, Phoenix, e dois irmãos mais novos, Finn e Connor. Todos eles vivem com a mãe e com o padrasto.

Labirinto das lagartas

Jasmine, Ellie e Summer precisam levar as lagartas pegajosas para a pista de corrida. Você pode ajudá-las a encontrar o caminho pelo labirinto? Cuidado com os Morceguinhos da Tempestade!

O Reino Secreto